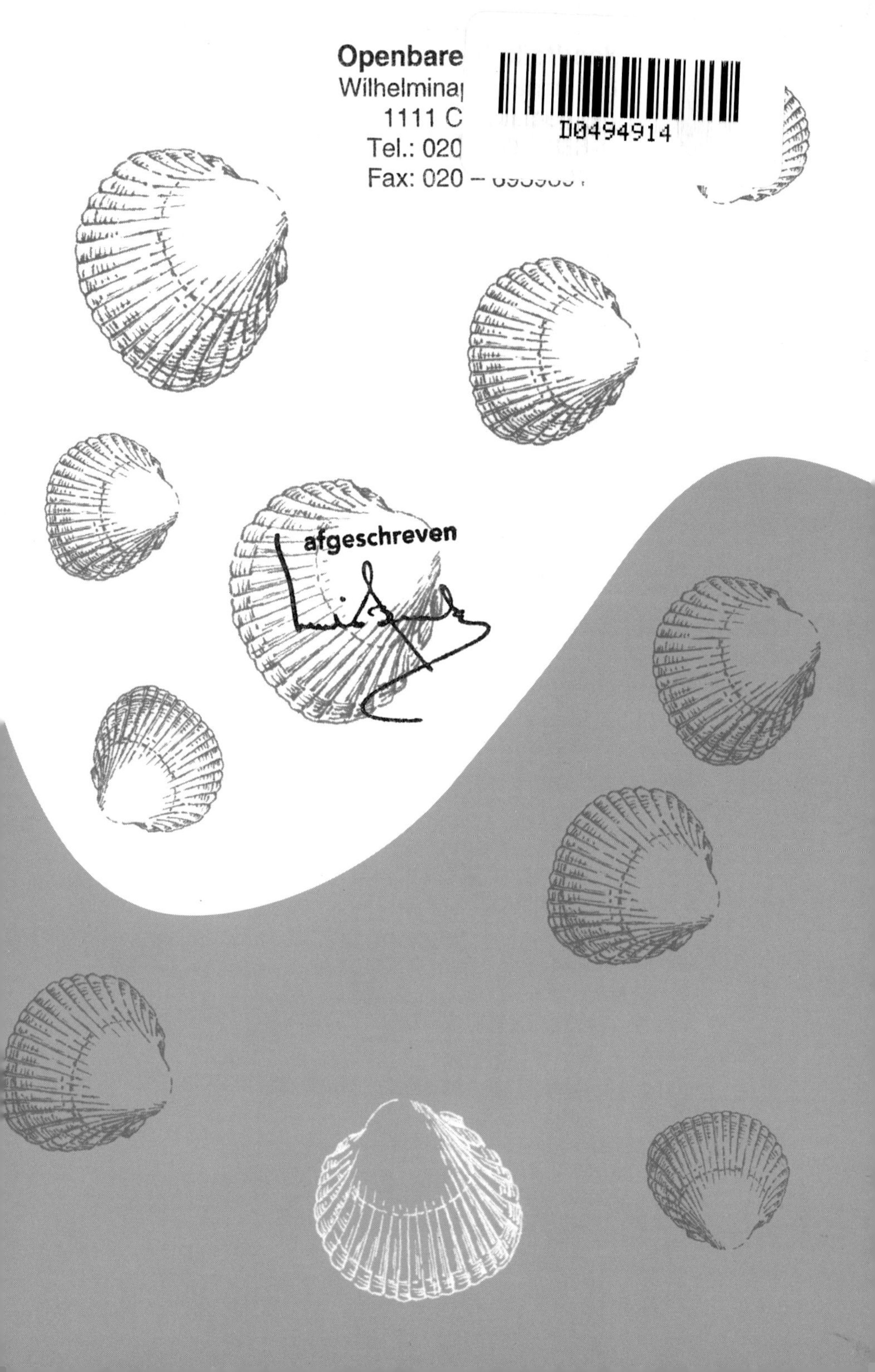

Wil je meer weten over Johan Struik?
Kijk op www.inktvis.nl

Bij boeken in de Kokkelreeks zijn zins- en woordlengte, AVI, lay-out, illustraties en inhoud aangepast aan de leeservaring en mogelijkheden van kinderen die graag spannende boeken lezen die niet te moeilijk zijn. Boeken in deze reeks zijn voorzien van het AVI-vignet (dat wil zeggen dat de boeken op niveaubepaling zijn geregistreerd en gecontroleerd door KPC Groep te 's-Hertogenbosch) en het keurmerk van de Stichting Makkelijk Lezen.

Ook verschenen in de Kokkel-reeks:
Een schat in de Biesbosch / Casper Markesteijn (AVI 4, vanaf 9 jaar)
Storm in het bos / Casper Markesteijn (AVI 5, vanaf 9 jaar)
Dure rommel / Casper Markesteijn (AVI 5, vanaf 10 jaar)
Eiland in zicht / Elisabeth Mollema (AVI 4, vanaf 9 jaar)
Stoere Koos / Lorna Minkman (AVI 5, vanaf 9 jaar)
Juf vermist / Johan Struik (AVI 6, vanaf 11 jaar)
Ren, Vos! Ren! / Lizzy van Pelt (AVI 2, vanaf 9 jaar)
Waar is Sjakie? / Lorna Minkman (AVI 5, vanaf 10 jaar)
Stiekem / Netty van Kaathoven (AVI 6, vanaf 11 jaar)
Dekke danst / Lizzy van Pelt (AVI 3, vanaf 9 jaar)
Verstopt! / Netty van Kaathoven (AVI 4, vanaf 9 jaar)

Johan Struik

Slotgeheim

met tekeningen van
Marijke Munnik

Uitgeverij De Inktvis

Tekst: © 2007 Johan Struik
Tekeningen: © 2007 Marijke Munnik
Ontwerp Kokkel-logo: Marijke Munnik
Vormgeving: Hill van Walraven en
Erik van Wel (Hollands Diep Design)

NUR 286
ISBN 978-90-75689-51-8

Hoofdstukken

Naar opa 7
Een goede vriend 10
Een slot voor de deur 14
De boot van Mark 18
Het slot 22
De boodschap 25
Katten 29
Gek 33
In het donker 37
Naar binnen 41
Het geheim 45
Gato en bota 49
Sorry 53
Alles verteld 58
Weg 61
Slot 66

Weetjes over kastelen 70

Naar opa

Het is vroeg als Iris wakker wordt.
Ze doet haar ogen langzaam open.
In de kamer is het nog donker.
Ze ziet de wijzers van haar wekker.
Die geven een beetje licht.
Ze staan op zeven uur.
Het is koud in de slaapkamer.
Iris voelt het aan haar neus.
Die steekt net boven haar dekbed uit.

Op de gang gaat het licht aan.
Mama is opgestaan.
De deur van Iris haar kamer gaat open.
'Goedemorgen', zegt mama zachtjes.
'Wakker worden.'
Iris kijkt op.
Mama ziet er zelf nog niet erg wakker uit.
Ze heeft een slaperig hoofd.
Met haar schouder leunt ze tegen de deurpost.
Bang dat ze omvalt, zo net uit bed.
'Ik ben al wakker', zegt Iris.
'Maar ik blijf nog even liggen.
Lekker warm.'
'Vooruit dan maar', zegt mama.
'Nog een kwartiertje.'

Iris denkt aan opa.
Straks zal ze hem weer zien.
Ze heeft er nu al zin in. Heel veel.
Iris is dol op opa.
Hij woont in een oud huis, dicht bij de rivier.
Het huis is niet zo groot, maar wel mooi.
Vanuit het raam zie je de schepen voorbij varen.
Iris gaat er graag naar toe.

Vorige week belde opa.
‘Kom je bij me logeren?’ vroeg hij.
Dat heeft ze vaker gedaan.
Een paar nachtjes, in de vakantie.
Meestal gaat ze in de zomer.
Bij de rivier zijn kleine strandjes.
Je kunt er fijn zwemmen.
Dat zal nu niet gaan.
Het is herfst en al behoorlijk koud.
Veel te koud om te zwemmen.
‘Wat gaan we dan doen, opa?’ had Iris aan de telefoon gevraagd.
‘Wacht maar af, dat is nog geheim.’
Opa lachte even toen hij dat zei.
Spannend, vindt Iris.
Mama steekt haar hoofd om de hoek van de deur.
‘Kom je er zo uit? De thee is klaar.’
Tijd om op te staan.
De eerste dag van de herfstvakantie is begonnen.

Een goede vriend

‘Doe je jas dicht!’ roept mama nog.
Iris hoort en ziet niets meer.
Ze rent naar buiten.
Het waait hard.
De meeste bomen zijn al kaal.
De bruine blaadjes vliegen door de lucht.
Iris merkt het niet.
Ze let niet op het weer.
Ze rent de straat uit en slaat rechtsaf.
Daar is het huis van Mo.
Mo en Iris zitten in dezelfde klas, naast elkaar.
Ze zijn allebei tien jaar.
Mo is een goede vriend.
De beste vriend die Iris heeft.
Daarom mag hij mee naar opa.
Ze gaan samen logeren.
Iris had dat aan opa gevraagd.
Hij vond het goed.
‘Jouw vrienden zijn mijn vrienden’, had opa gezegd.
Iris begreep niet helemaal wat opa bedoelde.
Maar het klonk erg aardig.
Echt iets voor opa. Die vindt alles goed!

De vader van Mo doet de deur open.
'Hallo Iris', zegt hij.
'Kom maar binnen, Mohammed is bijna klaar.'
Mohammed. Zo noemen alleen zijn vader en moeder hem.
Verder noemt iedereen hem Mo.
Dat is veel makkelijker.
De vader van Mo loopt de huiskamer in.
Iris gaat achter hem aan.
In de kamer kijkt het zusje van Mo naar de tv.
Iris gaat zitten en kijkt even mee.
Ze heeft het warm gekregen, van het rennen.
Binnen is het ook warm.
Iris maakt haar jas los.
'Ik moet plassen', zegt ze.
Ze staat op en loopt naar de gang.
Daar botst ze tegen Mo op.
'Mo!' roept ze blij.
'Ben je al klaar?'
Iris kijkt naar de grote koffer.
Ze moet lachen.
'Wat neem je allemaal mee?
Met die koffer kun je een wereldreis maken!'
Mo lacht ook.
Hij kan niet zo goed kiezen.

Daarom neemt hij maar veel mee.
De moeder van Mo komt de trap af.
‘Dat wordt sjouwen, Mohammed’, zegt ze.
Mo laat zijn spierballen zien.
‘Dat maakt niet uit’, zegt hij stoer.
‘Ik ben beresterk!’
‘Opschepper’, lacht Iris.

Buiten zwaaien ze nog een keer.
De vader en moeder van Mo zwaaien terug.
Ze staan achter het raam.
'Laten we doorlopen', zegt Mo.
'Gauw naar jouw huis.
Dan kunnen we snel naar je opa.'
Iris knikt en loopt zo snel ze kan.
Ze wil ook snel naar opa.
Maar nog sneller naar de wc.
Om te plassen.
Want dat is ze bij Mo vergeten.

Een slot voor de deur

Mama parkeert de auto.
Ze zijn bij het huis van opa.
'Kom op, Mo', roept Iris.
'Pak je koffer.'
Ze rent al naar opa's huis.
Ze weet de weg goed.
Door een smal gangetje, tussen twee andere huizen.
Dan een houten poort, een grote groene deur.
Die is niet op slot.
Door de poort, naar een binnenplaats.
Als Iris daar is, kijkt ze omhoog.
Ze ziet opa's huis nu, aan de achterkant.
Iris roept heel hard: 'Oopaaa!'
En rent de trap op naar de keukendeur.
De deur gaat open.
Daar is opa.
Iris geeft hem een dikke kus.
Ze houden elkaar even vast.
'Ben je alleen gekomen?' vraagt opa.
'Waar zijn je moeder en je vriend?'
'Die komen eraan', zegt Iris.
De poort gaat open en opa ziet mama.
Hij zwaait.

Mo komt er achter aan.
Hij sleept met zijn koffer.
Opa grinnikt als hij de koffer ziet.
'Moet er een takelwagen komen?' vraagt hij lachend.
Binnen krijgt mama koffie.
Mo en Iris drinken cola.
Ze kijken naar buiten, naar de rivier.
Ze zien de schepen voorbij varen.
Grote schepen, met zand of kolen.
Een snelle politieboot.
Kleine bootjes, met vissers erin.
Als Mo zijn cola op heeft, wil hij naar buiten.
Kijken naar de rivier.
Ze gaan allemaal mee.
Opa zet zijn petje op.
Een alpinopet.
Die draagt hij altijd.
'Anders wordt mijn hoofd koud', zegt hij tegen Mo.

Bij opa voor de deur is geen straat.
Er is een pad waar je lopen kunt.
Daarachter staat een soort muur, waar je overheen kijkt.

Die komt tot in het water van de rivier.
De muur is al heel oud.
Hij zorgt er nu voor dat je niet naar beneden kunt vallen.
'Ik wil je iets laten zien', zegt opa tegen Mo.
'Iets wat je thuis niet hebt.
Ik heb een slot voor de deur.'
Mo kijkt naar opa.
Maakt hij een grap?
Iedereen heeft toch een slot voor de deur?
Mo heeft zelf een sleutel.
Dan wijst opa naar rechts.
'Kijk maar.'
Aan de overkant van de rivier staat een kasteel.
Een heel groot kasteel.
'Dat is een kasteel', zegt Mo.
Iris lacht.
Ze kent de grap van opa al.
'Dat is óók een slot!' roept ze.
'Slot is een ander woord voor kasteel!'
Dat wist Mo niet.
Nu moet hij ook lachen.
Inderdaad.
Het kasteel staat bij opa voor de deur.
Opa heeft dus een slot voor de deur!

De boot van Mark

Mama gaat naar huis.
Iris, Mo en opa lopen mee naar de auto.
Nog een kus en dan vertrekt ze.
Over vier dagen komt mama terug.
Dan haalt ze Iris en Mo weer op.
Ze gaan eerst hun spullen uitpakken.
Ieder op een eigen kamer.
Het logeren is nu echt begonnen.

'Vertel je nu wat we gaan doen, opa?', zegt Iris.
'Of is het nog steeds geheim?'
Ze zitten aan de tafel in de kamer.
In de keuken hebben ze boterhammen gesmeerd.
Die eten ze nu op.
Opa kijkt hoe laat het is.
'Over een half uurtje gaan we weg.
Dan zul je het zien.'
Als het halve uur voorbij is, trekken ze hun jas aan.
Opa heeft zijn pet ook binnen opgehouden.
Die hoeft hij dus niet meer op te zetten.
'We gaan', zegt opa.
Ze stappen de voordeur uit en gaan rechtsaf.
Ze lopen een stuk over het pad, tot ze bij een

trap komen.
Daar gaan ze naar beneden.
Iris en Mo zien een kleine haven.
Er liggen allerlei bootjes.
Achter in de haven staat een man.
Hij staat bij een kleine boot.
De man zwaait naar opa en de kinderen.
Dan herkent Iris hem.
Het is Mark.

Mark is de broer van mama.
En dus de oom van Iris.
Hij woont vlak bij opa.
'Hoi Mark', zegt Iris en geeft hem een kus.
Tegen Mo zegt ze: 'Dit is mijn oom.'
Mo geeft Mark een hand.

'Hoe vinden jullie mijn boot?'
Mark kijkt trots naar de kleine boot.
Hij is wit, met twee blauwe bankjes erin.
Je kunt er met vier mensen in zitten.
'Is het een roeiboot?' vraagt Mo.
Hij wijst naar de twee peddels in de boot.
Mark knikt.
'Ja, maar wel één met een motor. Kijk maar.'
Achter aan de boot hangt een kleine motor.
Iris en Mo vinden de boot echt mooi.
Dan kijkt Iris naar opa.
'Wat is nou het geheim, opa?
Heeft het met de boot van Mark te maken?'
'Dat klopt', zegt opa.
'We stappen in bij Mark.
En dan varen we naar de overkant.
Naar het slot.'

Even later zitten ze allemaal in de boot.
Mark start de motor.
Ze varen het haventje uit, de rivier op.
Iris en Mo juichen.
Opa roept: ‘Ahoi!’
Het waait nog steeds hard.
De wind maakt golven op het water.
Ze klotsen wild heen en weer.
Donkere wolken hangen boven de rivier.
Het slot aan de overkant komt steeds dichterbij.

Het slot

Met een touw legt Mark de boot vast.
Eerst stapt opa uit. Daarna Iris en Mo.
Ze moeten zich goed vasthouden.
De boot schommelt hard.
Als laatste komt Mark.
Ze lopen in de richting van het slot.
Dichtbij is het groot en het ziet er dreigend uit.
'Een ophaalbrug!' roept Mo.
Ze lopen over de brug en komen op een pleintje.
In het midden staat een grote boom.

Aan de zijkant staan oude, lage huisjes.
'Wonen daar nog mensen, opa?' vraagt Iris.
'Nee, allang niet meer', zegt opa.
'Vroeger wel, toen woonden er soldaten.
Die moesten het slot verdedigen.'
Mark is naar een winkeltje gelopen.
Als hij terugkomt, zegt hij:
'Ik heb vier kaartjes gekocht, jongens.
Binnen krijgen we een rondleiding.'

Bij het slot staan wat mensen.
De poort is nog dicht.
Er komt een man aan. Hij heeft een grote sleutel.
'Ik ben de gids', zegt hij.
'Ik zal iets vertellen over dit slot.
Maar eerst gaan we naar binnen.
Ik open het slot met deze sleutel.'
Iris en Mo lopen met de andere mensen mee.
Opa en Mark lopen ook in de groep, vooraan.
De gids vertelt. Het slot is al heel oud.
Er is al vaak om gevochten, door soldaten.
Er hebben ridders gewoond en prinsen.
Het slot is ook een gevangenis geweest.
Er waren hier belangrijke mensen opgesloten.
De gids vertelt over een ontsnapping uit het slot.

Het is een spannend verhaal.
Iris en Mo lopen een beetje achteraan.
'Heb je die dikke muren gezien?' fluistert Mo.
'Knap, om hier uit te ontsnappen.' Iris knikt.
'Ik ben blij dat ik nu leef', zegt ze.
'Vroeger was het niet altijd leuker.'
'Wel spannender, misschien', zegt Mo.

Iris en Mo blijven staan.
De groep gaat verder naar een andere ruimte.
Ze horen de gids vertellen.
'Zie je dat?' zegt Mo.
'Daar gaat een trap naar boven.' Iris knikt.
'Zullen we daar eens kijken?' zegt ze.
'Misschien is er iets spannends.'
'En je opa en Mark dan?' vraagt Mo.
'Heel even', zegt Iris. 'We vinden ze zo weer terug.'
Ze lopen samen de smalle trap op.
Met dikke stenen muren aan beide kanten.
Als ze boven zijn, staan ze in een kleine kamer.
In de dikke muren zitten twee kleine vensters.
Daardoor kun je naar buiten kijken.
Iris en Mo zien de rivier, heel diep onder hen.
'Kijk, daar ligt de boot van Mark!' wijst Iris.
Een klein stipje schommelt op het wilde water.

De boodschap

Mo loopt de kleine kamer rond.
'Een torenkamer', zegt hij.
'Hier hebben vast ook mensen gevangen gezeten.
Ontsnappen lukt je nooit.
Kijk eens naar die dikke deur!'
De zware deur is van hout.
Mo probeert hem dicht te doen.
De deur beweegt heel langzaam.
Iris komt naast hem staan.
Samen duwen ze de deur verder dicht.
Totdat hij op een kier staat.

Ze zien nu de binnenkant van de deur.
'Wat is dat?'
Iris bukt zich naar voren.
'Dat lijken wel letters.'
Laag op de deur staan krassen in het hout.
Mo ziet het nu ook.
'Het zijn letters', zegt hij.
'Misschien is het een boodschap.
Een geheim bericht.'
Hij gaat op zijn knieën zitten.
Zijn neus is vlak bij de deur.

De letters zijn moeilijk te zien.
Dan leest Mo langzaam voor:

HET GEHEIM VAN HET SLOT
IS VERBORGEN BIJ DE KATTEN

‘Zou dat van vroeger zijn?’ vraagt Iris.
‘Van iemand die hier gevangen zat?’
‘Niet van zo heel lang geleden’, denkt Mo.

‘De letters zien er niet zo oud uit.
Ik begrijp er in ieder geval niets van.’
Ze gaan op de grond zitten.
Met hun rug tegen de deur.
‘Wat zou het betekenen?’ zegt Iris.
‘Ik hou wel van geheimen.’
Mo zegt niets.
Hij leunt tegen de deur aan.
En denkt aan de boodschap.

Plof.
Iris en Mo kijken verschrikt om.
De deur is dicht.
In het slot gevallen.
‘Oh nee!’ roept Mo.
‘Nou zijn we opgesloten.’
Ze staan allebei op.
Iris voelt aan de oude deur.
Ze drukt de deurknop naar beneden.
En trekt dan hard.
Niets.
Geen beweging.
Mo neemt een aanloop.
Hij knalt met zijn schouder tegen de deur.
Weer niets.

Mo probeert het nog eens.
De deur kraakt en springt open.
Iris grijnst.
Ze is niet bang geweest.
Hoe spannender hoe beter, vindt Iris.
Mo kijkt opgelucht.
‘Kom, we gaan terug’, zegt hij.

Ze lopen snel de trap af.
Beneden slaan ze rechtsaf.
In de richting van de groep.
Het duurt even voor ze de anderen vinden.
Dan zien ze opa en Mark.
Die luisteren nog steeds naar de gids.
‘We gaan er gewoon weer bij staan’, zegt Iris.
‘Ze merken het vast niet.’
Iris en Mo sluiten achteraan.
Niemand heeft de kinderen gemist.

Katten

Aan het pleintje is een restaurant.
Iris en Mo zitten aan een tafeltje.
Voor het raam.
Ze zien de grote boom en de lage huisjes.
Opa en Mark halen iets te drinken.
En een stuk appeltaart.
'Het geheim van het slot…', zegt Mo.
'Dat stond er.'
Hij kijkt naar buiten.
Het regent nu hard.
De boom zwiept heen en weer.
'Hoe ging het nou verder?'
'…is verborgen bij de katten', zegt Iris.
'Het lijkt wel een raadsel.
Er is iets verborgen.
En het is geheim.
Echt iets voor ons, Mo!'
Mo lacht.

'Zo, appeltaart en cola', zegt Mark.
Hij zet het blad op tafel.
'Lekker', zegt opa.
'Wat vonden jullie van het slot?

Jullie liepen achteraan.
Heb je alles wel gehoord?'
Iris en Mo knikken.
'Ja, over die ontsnapping', zegt Mo.
'En over de ridders', zegt Iris.
'Jaja', zegt opa.
'Er is hier veel gebeurd.
Het slot is al zo oud.'
Ze praten verder.
Opa vertelt over vroeger.
Niemand ziet dat de deur beweegt.
Hij gaat een klein stukje open.
Er glipt een grijze kat naar binnen.

In het winkeltje is het druk.
Mark en opa gaan naar binnen.
Mark heeft een boek gezien.
Over het slot.
Dat wil hij kopen.
Iris en Mo wachten buiten.
Op een bankje onder de boom.
Gelukkig regent het niet meer.
'Zie je dat?' zegt Mo opeens.
Hij stoot Iris aan.
'Wat?' vraagt Iris.

‘Daar!’
Mo wijst naar de deur van het restaurant.
De deur staat op een kier.
Een grijze kat komt naar buiten.
En steekt het pleintje over.
De kat loopt langs de lage huisjes.
Dan verdwijnt hij om de hoek.
‘Dat was een kat!’ roept Iris.

Ze staan op.
En rennen naar de hoek.
Daar staan ze stil.
Waar liep die kat heen?
Iris en Mo zien de achterkant van de huisjes.
Bij het derde huisje beweegt iets.
‘Kom’, zegt Mo.
Hij loopt er naar toe.
Het huisje heeft een achterdeur.
Daarin zit een luikje.
Een kattenluikje.
Bij de deur zitten wel zes katten.

Gek

'Gek', zegt Iris.
'Zoveel katten.
Waar komen die vandaan?'
Mo voelt aan de deur.
Die klemt.
De deur is niet op slot.
Langzaam gaat hij open.
In het huisje is het donker.
Het ruikt een beetje muf.
Mo en Iris gaan naar binnen.
Daar zijn nog meer katten.
Minstens tien.
De katten kijken naar Iris en Mo.
Iris loopt verder.
Ze komt in een kamer.
Die is leeg.
Bijna leeg.
In de hoek van de kamer zit een vrouw.
Op een stoel, bij het raam.
Ze slaapt.

'Zie je dat?' zegt Iris.
'Wegwezen hier!'

Ze draaien zich om.
'Ho!' roept de vrouw.
'Ik sliep niet echt.
Ik deed alsof.'
Ze lacht, op een vreemde manier.
'Jaja, ik wist wel dat jullie me zouden vinden.
Boven geweest, in het slot.
Gelezen van het geheim en de katten.
En nu mij gevonden.
Jaja, slimme kinderen. Slimme kinderen.'
Dan staat ze op.

Ze heeft een oude jurk aan, met bloemetjes.
En grote sloffen.
In haar kniekous zit een gat.
De vrouw loopt naar Iris en Mo toe.
'Jullie zijn niet bang.
Dat had ik al gezien.
Helemaal niet bang.'
Ze buigt zich voorover.
Dan zegt ze:
'Kom vanavond maar eens terug.
Als de andere mensen weg zijn.
Dan vertel ik je meer.
Over het geheim.'
Iris kijkt naar Mo.
Mo haalt zijn schouders op.
Iris denkt even na.
'Oké', zegt ze dan.
'We zullen er zijn.'

Even later lopen ze op het plein.
Aan de voorkant van het huisje is niets te zien.
De gordijnen zijn dicht.
'Volgens mij is ze een beetje gek', zegt Mo.
'Ze doet een beetje gek, dat wel', zegt Iris.
'Maar ik ben wel benieuwd.'

‘Gaan we echt vanavond?’ zegt Mo.
Iris knikt.
‘Ja, we gaan.’
‘Maar hoe dan?
Hoe komen we hier?’ vraagt Mo.
‘We lenen de boot van Mark’, zegt Iris.
‘Mag dat, denk je?’
‘We vragen het niet.
We doen het!’
De ogen van Iris glimmen.
Mo twijfelt.
‘Goed’, zegt hij dan.
‘We gaan, met de boot van Mark.
En we zeggen niets.’
Dan zien ze opa en Mark staan.
Ze rennen naar ze toe.
Samen lopen ze naar de boot.
Bij de ophaalbrug zit een kat.
Hij kijkt naar Iris en Mo.
Het is net of hij knipoogt.

In het donker

‘Welterusten’, zegt opa.
Hij doet de deur van zijn slaapkamer dicht.
‘Welterusten’, zeggen Iris en Mo.
Ze gaan ook naar hun slaapkamers.
‘Ik kom je straks halen,’ fluistert Iris.
Mo doet het licht uit.
Hij gaat op zijn bed liggen.
En houdt zijn kleren aan.
Het is half tien.
Even later gaat de deur van zijn kamer open.
Iris komt binnen.
Mo zegt niets.
Hij kijkt naar buiten.
Het water van de rivier is donker.
Er vaart een grote boot voorbij.
‘Denk je dat het veilig is?’ zegt Mo dan.
‘Wat bedoel je?’ vraagt Iris.
‘Nou, dat varen.
En naar die vrouw toe.
Ik weet het niet.’
‘Ben je bang?’ vraagt Iris.
‘Nee, niet bang, maar...’
‘Wacht eens’, zegt Iris.

Mo zwijgt.
Het licht op opa's kamer gaat uit.
'Nu slaapt hij binnen een paar tellen', zegt Iris.
'Kom mee.'

Er is niemand in de kleine haven.
De boot van Mark dobbert op het water.
Iris en Mo lopen er naar toe.
Voorzichtig stappen ze in.
'En nu?' vraagt Iris.
'Weet jij hoe de motor werkt?'
Mo kijkt naar de motor.
Hij heeft goed op Mark gelet.
Dan trekt hij aan een knop.
Aan de knop zit een touwtje.
Er gebeurt niets.
'Harder trekken', zegt Iris.
Mo trekt nog eens.
De motor maakt geen geluid.
'Nog harder', zegt Iris.
Mo geeft een flinke ruk aan het touw.
De motor slaat aan.
Hij kijkt trots.
'Zo', zegt hij. 'Maak de boot maar los.
We kunnen vertrekken.'

Iris maakt het touw los. Mo geeft gas.
Ze botsen tegen de steiger aan.
'Voorzichtig!' roept Iris.
Mo duwt de hendel een beetje naar links.
De voorkant van de boot draait.
Nu gaat het goed.
Zachtjes varen ze de haven uit.
Bij het slot is het pikdonker.
Er zijn geen lantaarns op straat.
Nergens brandt licht.

Mo heeft de motor uitgezet.
Hij is blij dat het varen goed ging.
Mo was toch wel bang.
Maar Iris heeft niets gemerkt.
Gelukkig, ze zijn veilig aan de overkant.
'Kom je nog?' roept Iris.
Ze staat al aan de kant. Mo klimt uit de boot.
De maan komt even achter de wolken vandaan.
De weg wordt een beetje verlicht.

'Kom', zegt Iris.
Op het plein is het doodstil.
Er is niemand te zien.
'Wat doen we?' vraagt Mo.
Iris loopt naar de lage huisjes.
Bij het derde huisje blijft ze staan.
Mo loopt er ook naar toe. 'Kijk', zegt Iris.
In het huisje brandt een kleine lamp.
Het geeft bijna geen licht.
In de vensterbank zit een grijze kat.
Hij heeft een halsband om.
Aan de halsband zit een kokertje.
Mo en Iris kijken naar de kat.
Ze staan gebogen voor het raam.
Ze zien niet dat er iemand achter hen staat.

Naar binnen

'Boe!'
De kinderen schrikken zich kapot.
'Whoeah!' roept Mo.
Iris voelt haar hart kloppen in haar keel.
Ze draaien zich om.
De vrouw staat achter hen.
Ze lacht.
Weer die vreemde lach.
'Jaja, toch een beetje bang!
Gekke kinderen.
Hoeft niet hoor, ik doe niets.'
Ze heeft een gele muts op.
Aan haar voeten draagt ze grote mannenschoenen.
Er lopen drie katten om haar heen.
'Gaan jullie mee?'
Ze draait zich om.
De katten volgen haar.
Ze loopt naar de ingang van het slot.
Daar voelt ze in haar jaszak.
De vrouw haalt er een grote sleutel uit.
Die houdt ze in de lucht.
'Komen jullie nog?' roept ze vrolijk.
'Heeft u de sleutel van het slot?'

Iris en Mo kijken verbaasd.
'Natuurlijk, natuurlijk! Ik woon hier toch!'
Ze opent de poort.
'Nou ja, ik slaap in het kleine huisje.
Maar het slot is ook mijn huis.
En van de katten.
Jaja. Zeker van de katten.'

Ze zijn nu in het slot.
Op de binnenplaats.
De vrouw voelt weer in haar jaszak.
Ze haalt er een aansteker uit.
Aan de muur hangt een fakkel.
Ze pakt hem en steekt hem aan.
'Zo, nu kunnen we iets zien', zegt ze.
'Pak jij er ook maar één.'
Ze kijkt naar Mo.
En wijst naar de muur.
Daar hangt nog een fakkel.
'Ik dacht dat ze voor de sier waren', zegt Iris.
'Ben je mal! Kom, we gaan naar boven.'
De katten lopen vooruit.
Het lijkt alsof ze de weg weten.
'Naar de toren!' roept de vrouw.
Ze loopt een trap op.

Mo kijkt naar Iris.
‘Ze is echt gek, geloof ik’, fluistert hij.
‘We zullen zien’, zegt Iris.

In het donkere slot is het koud.
Het tocht.
Alleen de fakkels geven licht.
De vrouw loopt stevig door.
Ze weet de weg.

Voor Iris en Mo is het slot een doolhof.
In het donker herkennen ze niets.
'We zijn er bijna', zegt de vrouw.
'Maar nog niet helemaal.'
Dat laatste zingt ze er zachtjes achteraan.

Boven aan een trap blijft ze staan.
De kinderen volgen haar.
Ze komen in een kamer.
Een torenkamer.
De fakkels verlichten de ruimte.
'Hier is het.'

Het geheim

‘Héé’, roept Mo.
‘Dit ken ik!
Hier zijn we vanmiddag geweest.’
‘Dat klopt’, zegt de vrouw.
‘Dat weet ik.’
‘Hoe weet u dat dan?’ vraagt Iris.
‘U was er toch niet bij?’
‘Neenee. Ik niet.
Maar de katten. Die hebben het gezien.
Die vertellen het mij. Jaja.’

Mo en Iris zeggen niets.
De vrouw gaat verder.
‘Kennen jullie dat sprookje?
Van de gelaarsde kat?
Vast wel.
Die kat helpt zijn baas.
De Markies van Karabas.’
‘Ja, dat ken ik’, zegt Mo.
‘Een sprookje over een pratende kat.
Zijn baas trouwt met een prinses.
Maar waarom vraagt u dat?’
De vrouw kijkt naar een kat in de hoek.

De kat knipoogt.
‘Begrijpen jullie het niet?’ zegt ze dan.
‘Hij woonde hier!’
‘Wie bedoelt u?’ vraagt Iris.
‘De kat! De gelaarsde kat!
Zijn baas woonde in een kasteel.
Dat was hier. Dit slot.
Hier woonde de Markies van Karabas.
Met de gelaarsde kat!’
De ogen van de vrouw glimmen.
‘Dat is het geheim van het slot.
Daarom wonen hier zoveel katten.
Nog steeds!’
De vrouw danst door de kamer.
‘Nou, wat vinden jullie ervan?’
Iris kijkt naar Mo.
Ze weet niet wat ze moet zeggen.
‘Gelooft u dan in sprookjes?’ zegt Mo.
‘Maar natuurlijk! Jullie niet dan?’
De vrouw kijkt verbaasd.
‘Geloven jullie mij niet?
Dat is gek. Heel gek.
Ik zal je eens iets laten zien.
Dan moet je me wel geloven.’

‘Kom maar, Cleo’, zegt de vrouw.
De kat in de hoek loopt naar haar toe.
Het is de grijze kat.
Met het kokertje aan de halsband.
De vrouw maakt de halsband los.
En draait het kokertje open.
Daarin zit een kleine sleutel.
‘Het geheim van het slot…’ zegt de vrouw.
‘…is bij de katten’, vult Iris aan.
‘Jaja, heel goed’, zegt de vrouw.
Ze grinnikt even.
Met een fakkel loopt ze naar een hoek.
Ze bukt zich.
En kijkt naar de vloer.
Het lijkt of ze iets zoekt.
‘Hou eens vast’, zegt ze tegen Mo.
Mo pakt de fakkel aan.
Hij ziet wat de vrouw zocht.
Op een tegel staat een kleine tekening.
Een tekening van een roos.
De vrouw pakt de tegel bij de rand.
Ze trekt hem uit de vloer.
‘Ligt gewoon los’, zegt ze tegen Mo.
‘Maar dat weet niemand.’
Mo schijnt met de fakkel op de vloer.

Onder de tegel is een gat.
Een plek om iets te verstoppen.
De vrouw tilt er iets uit.
Het is een klein, houten kistje.
Met de sleutel maakt ze het kistje open.
Er ligt een stuk papier in.
Het ziet er heel oud uit.
Maar dat is niet het enige.
Bovenop ligt een halsband.
Een kattenhalsband.
Er staan woorden op.
En diamanten.
In de halsband zitten drie grote diamanten.

Gato en bota

De vrouw kijkt nu ernstig.
'Hier zie je het. Het bewijs.'
Ze pakt de brief.
En begint voor te lezen.
Ze leest razendsnel. In een andere taal.
'Wat zegt u allemaal?' vraagt Iris.
'Ach natuurlijk, dit is Spaans.'
De vrouw knikt.

‘Dat verstaan jullie niet. Het is een brief.
Van de Markies van Karabas.
Die kwam uit Spanje.
En de halsband is van de gelaarsde kat.’
Ze geeft de halsband aan Iris.
Twee woorden zijn leesbaar: ‘Gato’ en ‘Bota’.
‘Spaans’, zegt de vrouw.
‘Gato betekent kat. Bota betekent laars.’
‘Oh’, zegt Iris.
Ze is er stil van geworden.
En snapt er weinig van.
Het was toch een sprookje?
Die vrouw gelooft het echt.
En die halsband, die lijkt ook echt.
Gato en bota.

Het is een raar verhaal.
Iris kijkt naar de vrouw.
Ze zit op de grond, naast de deur.
Cleo zit naast haar.
De vrouw fluistert tegen de kat.
Zou ze echt met katten kunnen praten?

Mo heeft de halsband gepakt.
Hij kijkt naar de diamanten.

‘Ja, die zijn echt’, zegt de vrouw.
Ze raadde wat Mo dacht.
‘Heel echt, en heel duur.
Daarom moet dit geheim blijven, snap je?
Het moet geheim blijven!’
Ze kijkt nu een beetje boos.
Mo legt de halsband terug.
‘Waarom heeft u het ons dan verteld?’ vraagt Mo.
De vrouw knikt en lacht.
‘Jaja, goede vraag. Prima vraag zelfs.
Ik zal het je zeggen.
Omdat jullie de boodschap vonden!
De boodschap op de deur.
En daarna de katten.
En mij! Daarom.
Wie mij vindt, vindt het geheim.’
Weer die vreemde lach.
Even zegt ze niets.
Ze lijkt aan iets te denken.
Dan zegt ze opeens:
‘Maar geheim blijft geheim. Begrepen?’
Ze loopt weg uit de kamer.
Met Cleo achter zich aan.

Buiten is het koud.

Het regent een beetje.
De vrouw heeft de poort afgesloten.
Ze praat tegen Cleo.
Het lijkt of ze Iris en Mo niet meer ziet.
Die weten niet goed wat ze moeten doen.
‘Zullen we maar gaan?’ vraagt Mo.
Iris kijkt nog eens naar de vrouw.
De vrouw loopt naar het huisje.
‘Dag mevrouw’, roept Iris.
‘We gaan naar huis.’
De vrouw draait zich om.
‘Dat is goed’, zegt ze.
‘Ga maar. Dat doe ik ook. Jaja.
Ik ga ook maar eens.’

Ze loopt verder.
Dan draait ze zich nog eens om.
‘Hoe heten jullie eigenlijk?’
‘Iris en Mo’, zegt Mo. ‘En u?’
De vrouw loopt al weg.
Ze kijkt al niet meer naar de kinderen.
Maar Iris en Mo horen haar zeggen:
‘Nou, wat denk je?
Karabas natuurlijk. Mevrouw van Karabas.’
Dan slaat ze de deur achter zich dicht.

Sorry

‘Hallo, wakker worden.’
Opa komt naar boven.
‘Het is al tien uur.
Wat zijn jullie slaapkoppen, zeg!
Kom er maar uit, het ontbijt is klaar.’
Mo kijkt op zijn wekker.
‘Is het al zo laat?’
Hij springt uit zijn bed.
En loopt naar de badkamer.
Iris komt ook uit bed.
En kijkt uit het raam.
De zon schijnt vandaag.
De rivier glinstert.
Er komt een boot voorbij.
Ze denkt aan de nacht.
Aan het slot en aan het geheim.
Opa heeft niets gemerkt.
Iris voelt zich raar.
Ze wil het graag vertellen.
Maar doet het niet.

‘Slapen jullie altijd zo lang?’ vraagt opa.
Hij smeert een boterham.

Mo schenkt thee in.
‘Zeker nog lang gekletst, gisteren?’
Opa lacht.
‘Dat hoort bij logeren, geeft niks.’
Mo en Iris kijken naar hun bord.
Ze zeggen niets.
En eten hun boterham.

‘Goedemorgen allemaal.’
Mark komt binnen.
‘Nog aan het ontbijt?
Ik heb al zin in koffie.’
Mark gaat zitten.
‘Je moet nog even wachten’, zegt opa.

‘Ze zijn nog maar net uit bed.
Slaapkoppen zijn het.’
Mark lacht ook.
Hij gaat zitten.
In de stoel voor het raam.

‘Ga je nog varen vandaag?’ vraagt Mo.
‘Ik weet het nog niet’, zegt Mark.
‘Ik was net bij de boot.
Er is iets raars.’
Iris schrikt.
‘Wat dan?’ vraagt ze.
‘De boot lag andersom’, zegt Mark.
‘Hij was andersom vastgemaakt.
En er zit een kras op.
Aan de voorkant.
Alsof ermee gebotst is.
Tegen een steiger.
Of tegen een paal.’
‘Gek’, zegt opa.
‘Zou iemand ermee gevaren hebben?’

Mo krijgt een rood hoofd.
Hij schaamt zich.
Iris durft niet te kijken.

Ze kijkt naar de grond.
Opa kijkt naar de kinderen.
Hij ziet het.
En geeft Mark een knipoog.
'Weten jullie daar iets van?' vraagt hij dan.
Iris knikt.
Ze durft nog steeds niet te kijken.
En ook niet te praten.
'Wat is er gebeurd dan?' vraagt Mark.
'We zijn naar het slot geweest', zegt Mo.
Hij praat zachtjes.
Dan durft Iris ook.
'Ja', zegt ze.
'We hebben een geheim ontdekt.
Bij het slot, gisteren.
Toen we er met jullie waren.
Daarom gingen we terug.
's Avonds, met de boot.
Stiekem. Sorry Mark.'
'Ja, sorry', zegt ook Mo.
'Het spijt me.'

Opa en Mark kijken elkaar even aan.
'Jullie zijn een lekker stel', zegt opa.
'Daarom hebben jullie zo lang geslapen.

Jullie zijn dus naar het slot geweest.
In de nacht!'
Iris en Mo knikken.
'Voor een geheim, zei je?
Een geheim op het slot?'
Opa kijkt verbaasd.
Dan zegt hij:
'Daar wil ik meer over horen.
Ik ga koffie zetten.
En dan vertellen jullie alles.'
'Dat mag niet', zegt Mo.
'Toch?'
Hij kijkt naar Iris.
'Eigenlijk niet', zegt ze.
'Maar laten we het toch maar vertellen.'

Alles verteld

‘Dat is een geheimzinnig verhaal’, zegt Mark.
Iris en Mo hebben alles verteld.
Van de boodschap op de deur.
En de katten.
Van de vrouw in het huisje.
En van het geheim.

‘Hoe is het mogelijk?’ zegt opa.
‘Dat daar een vrouw woont?
Dat kan toch niet zomaar?’
‘Het is echt waar, opa’, zegt Iris.
‘We hebben het zelf gezien.’
‘En dan al die katten’, zegt Mark.
‘Die vrouw had een sleutel, zei je?’ vraagt opa.
‘Ja,’ zegt Mo.
‘We zijn met haar in het slot geweest.
Naar de torenkamer.’
‘Daar lag die halsband’, zegt Iris.
‘In dat kistje, met die brief.’
Mark grinnikt.
‘Die halsband. Van de gelaarsde kat.
Dat is een goeie, haha!’
Iris kijkt Mark strak aan.

‘Geloof je ons soms niet?’ zegt ze.
‘Ga je dan mee kijken?’
‘Ik geloof jullie best’, zegt opa dan.
‘Maar dat van die gelaarsde kat…’
Dan lacht Mo ook.
‘Ja, dat is wel heel raar’, zegt hij dan.
Ze lachen allemaal.
Iris en Mo zijn opgelucht.
Blij dat ze het verteld hebben.
En dat opa en Mark niet boos zijn.

‘Is het een grote kras, Mark?
Op de boot?’
Mo voelt zich schuldig.
‘Het valt wel mee, hoor’, zegt Mark.
‘Maak je maar niet druk.
Waar heb je eigenlijk leren varen?’
‘Mo kon helemaal niet varen’, zegt Iris.

‘We hebben het gewoon geprobeerd.’
‘Vandaar die kras’, zegt Mo.
‘Ik botste tegen de steiger.
Maar verder ging het best goed.’

‘Weet je wat?’ zegt Mark.
‘We varen nog eens naar het slot.
Ik wil dat geheim wel zien.
Met mijn eigen ogen.’
Opa is op de gang.
‘Vraag maar of opa ook meegaat,’ zegt Mark tegen Iris.
Opa steekt zijn hoofd om de deur.
‘Ik heb mijn pet al op.
Kom, we gaan!’

Mark heeft de motor gestart.
Ze zitten allemaal in de boot.
Dan kijkt Mark naar Mo.
‘Ik ben benieuwd, stuurman.
Laat maar eens zien wat je kan.’
‘Mag ik varen?’ zegt Mo.
Mark knikt.
‘Het lukte toch ook in het donker?
Dan moet het nu zeker goed gaan.’

Weg

Op het plein bij het slot is alles rustig.
Er zijn weinig bezoekers vandaag.
Bij het winkeltje hangt een bord.

**‘Geen rondleidingen vandaag.
Slot vrij te bezoeken.’**

Dat staat erop.
‘Zie je dat?’ zegt Mark.
‘We mogen er zo in.’
De poort bij het kasteel staat open.
Iris en Mo lopen voorop.
Opa en Mark komen er achter aan.
Vlug vinden ze de weg.
Ze lopen naar de torenkamer.
Het is er nu licht.
De zon schijnt door de vensters.
Alles ziet er anders uit.

Mo zoekt in de hoek.
De tegel met de roos is niet moeilijk te vinden.
‘Hier is het’, zegt Mo.
Hij probeert de tegel te pakken.

Het lukt.
De tegel komt uit de vloer.
Mark en opa kijken in het gat.
Er is niets te zien.
Het kistje is weg.

'Laat die boodschap eens zien', zegt Mark.
Iris en Mo lopen naar de deur.
Ze duwen er tegen aan.
Tot hij bijna op een kier staat.
Mo zoekt de woorden.

Hij zit op zijn knieën.
Met zijn neus bijna op de deur.
Hij ziet alleen nog krassen in het hout.
Heel veel krassen.
Er zijn geen woorden meer te lezen.
'Ik begrijp het niet', zegt Iris.
'Hoe kan dat nou?
Je gelooft ons toch wel, opa?'
Opa kijkt Mark aan.
Ze zeggen niets.

'We gaan naar het huisje,' zegt Mark dan.
Iris kijkt naar Mo.
'Het moet geheim blijven.'
Dat had de vrouw gezegd.
Ze hadden alles al verteld.
Maar de vrouw opzoeken?
Misschien wordt ze wel boos.
Iris twijfelt.
'Goed', zegt Mo.
'Maar dan moeten jullie buiten wachten.'

Aan de achterkant van de huisjes is het stil.
Er is geen kat te bekennen.
Bij het derde huisje gaan Iris en Mo naar binnen.

Opa en Mark wachten buiten.
Ook in het huisje is het stil.
De stoel is weg.
Er zijn geen katten.
De vrouw is nergens te zien.
Iris en Mo gaan weer naar buiten.
Bij opa en Mark staat de gids.
De man van de rondleiding door het slot.
'Jullie mogen hier niet komen', zegt hij.
'De huisjes zijn niet om te bezoeken.'
'We komen niet voor de huisjes', zegt Iris.
'Maar voor de vrouw, die hier woont.'
De gids kijkt verbaasd.
'Hier woont geen vrouw', zegt hij dan.
'Hoe komen jullie daar nou bij?
Dat mag niet en dat kan niet.
We letten goed op.
Hier heeft nooit een vrouw gewoond.
Maar nu moeten jullie hier weg.
Komen jullie mee?'
Samen met de gids lopen ze naar het plein.

'Ik begrijp er helemaal niets van', zegt Mo.
'Ik ook niet', zegt Iris.
'Hoe kan dat nou?

Alles is weg.
De vrouw, de katten, het kistje en de boodschap.
En vannacht was het er allemaal.
Echt waar.'
Opa en Mark kijken elkaar nog eens aan.
'Ik vond het al wel een raar verhaal…' zegt Mark.

'Zie je wel! Je gelooft ons niet', zegt Iris boos.
'Ze geloven het niet, Mo.
Maar we liegen niet!'
Mo zegt niets.
Hij twijfelt nu ook.
Is het echt gebeurd?

Slot

Ze zijn gaan zitten op het bankje.
Onder de boom.
Niemand zegt iets.
Iris is boos.
Mo weet het niet meer.
Mark en opa kijken naar de grond.

De deur van het restaurant staat op een kier.
Er glipt een kat naar buiten.
Hij steekt het plein over.
‘Kijk’, zegt Mo.
‘Daar loopt Cleo.’
Opa en Mark kijken op.
Ze zien de kat.
‘Cleo!’ roept Iris.
De kat staat stil.
Hij kijkt.
En loopt naar Iris toe.
Iris aait de kat.
‘Hée’, zegt ze.
‘Hij heeft zijn halsband nog om.’
‘Met diamanten zeker?’ grinnikt Mark.
Opa is dichter bij gekomen.

‘Geen diamanten’, zegt hij.
‘Maar wel een kokertje.’
Iris maakt de halsband los.
Ze draait het kokertje open.
Er zit geen sleutel meer in.
Maar wel een briefje.
‘Voor Iris en Mo’
staat er in kleine lettertjes op.

Beste Iris en Mo,

Ik ben weg.
Het kistje nam ik mee.
Dat is maar beter.
Ik verstop het op een goede plek.
Het geheim blijft geheim.
Er is toch niemand die het gelooft.
Behalve de katten.
Die weten wel beter.
Groeten,

Mevrouw van Karabas

Mark en opa kijken verbaasd.
Erg verbaasd.

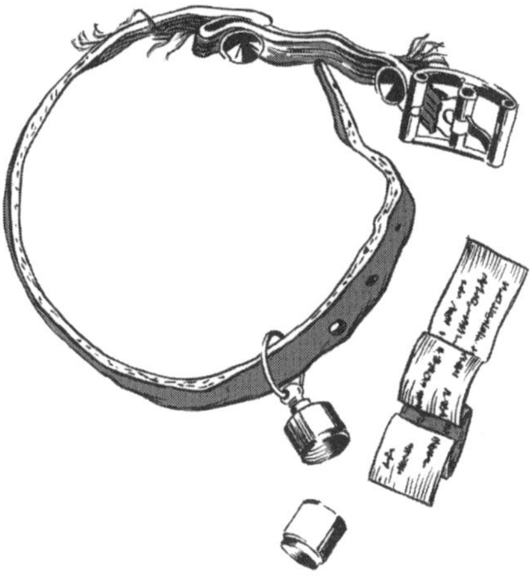

‘Zie je nou
wel!’ juicht Iris.
‘Ik zei het toch.
Het is echt gebeurd.
Precies zoals wij verteld hebben.
Geloof je me nu, Mark?’
‘Ik moet het wel geloven’, zegt Mark.
‘Tjonge’, zegt opa.
Meer weet hij niet te zeggen.
Ze lopen nog een tijdje rond.
Op zoek naar katten.
Of naar sporen van de vrouw.
Maar er is niets te vinden.
Zelfs Cleo is nu weg.
‘Hier vinden we niets meer’, zegt Mark.
‘Weet je wat?
Aan de overkant kun je pannenkoeken eten.
Daar varen we naar toe.
Ik trakteer.

Omdat ik jullie niet geloofde.'
'Goed idee!' roept opa.
Hij is dol op pannenkoeken.

Ze lopen naar de boot.
Die dobbert rustig op het water.
Alles lijkt anders dan gisteren.
Dan zegt Mark:
'Maar dat van de gelaarsde kat....
Dat lijkt me toch echt niet kunnen.'
'Nee', zegt Iris dan.
'Dat geloof ik ook niet.
Maar de vrouw geloofde het echt.
'Ze was toch wel een beetje raar', zegt Mo.
'Raar, maar ook leuk', zegt Iris.
'En aardig.'
Ze stappen allemaal in.
Dan start Mark de boot.
De pannenkoeken wachten.

Weetjes over kastelen

Het slot in het boek lijkt veel op 'Slot Loevestein'.
Wil je meer over dit slot weten?
Kijk dan op www.slotloevestein.nl

Slot Loevestein is lang een gevangenis geweest.
Er zaten beroemde mensen gevangen, lang geleden.

Hugo de Groot was 400 jaar geleden zo'n
beroemde man.
Hij zat gevangen op Slot Loevestein.
Hij is ontsnapt, in een grote kist.
De bewakers dachten dat er boeken in de kist zaten.

In het boek lees je dat een 'Slot' een kasteel is.
Nog een ander woord voor kasteel is 'Burcht'.

Kastelen hebben altijd erg dikke muren.
Wel meer dan een meter dik.
Dat was veilig, bij een aanval.
Die muren gingen niet zo maar kapot!

Een kasteel staat vaak in het water.
Dat water heet de slotgracht.

Ook al voor de veiligheid.
Het water hield vijanden buiten.
Ze konden niet zomaar het kasteel in.

Er zijn veel kastelen in Nederland.
Op www.kastelen.nl vind je er alles over.
Er is een aparte link voor kinderen.
Handig voor een spreekbeurt of een werkstuk.

In het boek lees je over 'De gelaarsde Kat'.
Dat is een sprookje.
In sprookjes komen vaak kastelen voor.
De gelaarsde Kat is een sprookje van Moeder de Gans.
De sprookjes van Moeder de Gans zijn verzameld
door een Fransman.
Hij heette Charles Perrault.

Roodkapje en Klein Duimpje zijn
andere bekende sprookjes van
Moeder de Gans.